Pum rheswm pam y byddwch chi'n dwlu ar Annalisa Swyn ...

Mae hi'n llawn hwyl – a hud!

Mae ei hoff degan, Bwni Binc, wedi dod yn fyw trwy hud a lledrith!

Mae teulu Annalisa'n wahanol i bob teulu arall!

Mae'r lluniau hudolus yn dod â nhw'n fyw!

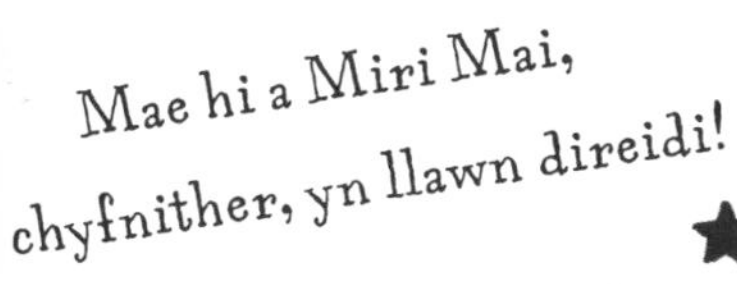

Mae hi a Miri Mai, chyfnither, yn llawn direidi!

Beth fyddai eich anifail anwes delfrydol chi?

Ci-sosej o'r enw Mali, sy'n gwisgo côt felen.
– Ffion

Ceffyl sy'n hedfan – gallai fynd â fi i unrhyw le!
– Meg

Draenog bach – maen nhw mor giwt!
– Hawys

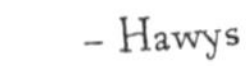

Uncorn hudol y gallwn
hedfan ar ei gefn!
– Lola

Dyfrgi pinc sy'n gallu
bod yn anweledig.
– Marged

Mochyn cwta ninja!
– Harri

Cwningen ag adenydd, sydd hefyd
yn hanner uncorn.
– Ifan

Coeden Deulu

Mam
Yr Iarlles
Ceinwen Swyn

Babi Blodyn

Dad
Yr Iarll
Caleb Swyn
Fi!
Annalisa Swyn
Bwni Binc

I fampirod, tylwyth teg a phobl go iawn ym mhob man!

Ac i Henry, sy'n arbennig iawn i mi.

Cyhoeddwyd gan Rily Publications Ltd 2017
Rily Publications Ltd, Blwch Post 257, Caerffili CF83 9FL

Addasiad gan Eleri Huws

Cyhoeddwyd gyntaf yn Saesneg dan y teitl
Isadora Moon Gets in Trouble yn 2017
gan Oxford University Press, adran o Brifysgol Rhydychen.

ISBN 978-1-84967-011-1

Argraffwyd gan Bell and Bain Ltd, Glasgow

Cyhoeddwyd gyda chymorth ariannol Cyngor Llyfrau Cymru.

Defnyddiwyd papur o ffynonellau cyfrifol.

rily.co.uk

ANNALISA SWYN

mewn trwbwl

Harriet Muncaster

Addasiad Eleri Huws

Pennod UN

Un pnawn Sul, ro'n i'n neidio lan a lawr yn gyffrous o flaen ffenest y gegin. Roedd fy nghyfnither Miri Mai – sy'n hanner tylwythen deg, hanner gwrach – yn dod i aros. Am wythnos gyfan!

'Dy'n ni ddim wedi'i gweld hi ers amser hir,' meddai Mam, oedd yn brysur yn pobi cacen i groesawu Miri Mai. Roedd hi'n defnyddio'i hudlath i droi'r gymysgedd, gan wneud i wreichion bach disglair neidio allan o'r bowlen.

'Dwi wedi bod yn meddwl am gêmau da y gallwn ni eu chwarae gyda'r tŷ dol,' dywedais.

'Hyfryd!' atebodd Mam.

Yn sydyn, dechreuodd Bwni Binc sboncio lan a lawr, gan bwyntio at y ffenest â'i phawen. Bwni Binc oedd fy hoff degan yn y byd i gyd, ac roedd Mam wedi defnyddio hud a lledrith i'w gwneud hi'n fyw. Mae Mam yn gallu gwneud pethau fel'na – tylwythen deg yw hi.

'Mae hi yma!' gwaeddais. 'Mam! Edrych!'

Rhoddodd Mam ei hudlath i lawr wrth i ni wylio Miri Mai yn hedfan yn osgeiddig i lawr i'r ardd ar ei hysgubell.

'O! Fe hoffwn i gael ysgubell!' llefais mewn edmygedd.

'Mae adenydd yn well o lawer,' meddai Mam yn bendant. Sychodd ei dwylo, ac aeth y ddwy ohonon ni allan i'r ardd.

'Miri Mai!' gwaeddais gan redeg tuag

ati a rhoi clamp o gwtsh iddi. 'Dwi *mor* falch o dy weld di!'

'A finnau'n falch o dy weld di!' atebodd Miri Mai. Roedd hi'n gwisgo het ddu bigfain a phâr o fŵts du, sgleiniog – rhai ffasiynol iawn.

'Ble mae Wncwl Caleb?' holodd Miri Mai wrth i ni ddringo'r grisiau i'm stafell wely i yn y tŵr.

'Yn dal i gysgu, siŵr o fod,' atebais. 'Dwyt ti ddim yn cofio bod Dad wastad yn cysgu yn ystod y dydd? Dyw e ddim yn gallu diodde'r haul. Welwn ni mohono fe tan tua saith o'r gloch heno, pan fydd yn codi i gael ei frecwast!'

Ond, ar hynny, clywais sŵn uwch fy

mhen yn rhywle. WHWWSH! Rhuthrodd Dad i lawr y grisiau tuag atom, a'i glogyn fampiraidd yn hedfan y tu ôl iddo.

'Dyma ti!' llefodd. 'Fy hoff nith!'

'Helô, Wncwl Caleb,' atebodd Miri Mai. 'Dwi'n hoffi'ch clogyn chi!'

'Diolch i ti,'

meddai Dad gan wenu wrth fwytho'r defnydd melfed. Mae Dad wrth ei fodd pan fydd rhywun yn canmol ei ddillad – rhai felly yw fampirod.

'Dere, Miri Mai,' dywedais. 'Mae gen i rywbeth i'w ddangos i ti.'

'Ta-da!' dywedais wrth agor drws fy stafell. Yng nghanol y llawr safai'r tŷ dol – ac ro'n i wedi'i orchuddio â goleuadau tylwyth teg pitw bach. 'Edrycha!' ychwanegais, gan bwyntio at y stafell fwyta bitw bach. 'Dwi wedi paratoi te parti croeso i ti!'

Y tu mewn i'r stafell fwyta bitw bach roedd bwrdd pitw bach, ac ar y bwrdd roedd gwledd bitw bach.

Hufen lâ
Meddal

'Bwyd go iawn yw e, cofia,' dywedais yn falch. 'Hyd yn oed y brechdanau – fe fues i wrthi am hydoedd yn eu gwneud. Ac edrycha – mae'r losin wedi'u gwneud o sbrincls cacen!'

'Waw!' llefodd Miri Mai wrth estyn am frechdan bitw bach. 'Mêl – fy ffefryn i! meddai.

'Finnau hefyd!' atebais gan wenu.

Eisteddodd y ddwy ohonon ni i fwynhau'r bwyd, tra oedd Bwni Binc yn neidio o gwmpas y stafell. Roedd hithau hefyd wrth ei bodd yn gweld Miri Mai.

'Fe a' i i lenwi'r pwll â dŵr,' dywedais, gan ysgwyd y briwsion oddi ar fy nillad.

Y tro diwethaf i Miri Mai ddod i aros, roedden ni wedi gwneud pwll nofio ar gyfer y doliau – twb hufen iâ gwag, a llithren wedi'i gwneud o diwbiau plastig. Roedd y llithren yn sownd wrth do'r tŷ dol, ac yn troelli i lawr i'r pwll. Brysiais i'r stafell 'molchi, a cherdded yn ôl yn ofalus yn cario llond y twb hufen iâ o ddŵr.

'Dwi wedi cael syniad arall hefyd,' dywedais gan osod y twb wrth waelod y llithren. 'Beth am i ni wneud dwy ddoli sy'n edrych 'run ffunud â ni? Doli Miri Mai a doli Annalisa – gallan nhw fyw yn y tŷ dol a chwarae ar y llithren! Mae gen i ddarnau bach o ddefnydd allen ni eu defnyddio. Dwi am wneud twtw ddu ar gyfer fy noli i!'

'Hmmm …' meddai Miri Mai, a'i llygaid yn disgleirio. Yn amlwg, roedd hithau hefyd yn cael un o'i 'syniadau'.

'Mae chwarae gyda'r doliau'n ddiflas. Beth am i ni *fod* yn ddoliau?'

'Beth wyt ti'n feddwl?' holais.

'Gallwn ni wneud ein hunain yn

bitw bach,' atebodd Miri Mai. 'Fe alla i wneud cymysgedd hud a lledrith i ni. Wedyn gallwn fynd i mewn i'r tŷ dol, a defnyddio'r llithren a'r pwll!'

Tynnodd grochan arbennig o'i chês, a dechreuodd dywallt hylif o boteli bach gwydr i mewn iddo. Roedd fy mola'n llawn o bilipalod!

'Wyt ti'n hollol siŵr na fydd dim byd yn mynd o'i le?' holais yn bryderus.

'Ydw, hollol siŵr!' atebodd Miri Mai. Tywalltodd lond jar o gliter pinc i mewn i'r crochan, ac yna'i gymysgu. Roedd y gymysgedd yn fwy o bowdwr nag o hylif. Aeth Miri Mai i chwilota yn ei chês a thynnu pwff-powdro fflwfflyd allan ohono.

'Gad i mi roi mymryn o hwn ar dy fraich di,' meddai. 'Dim ond am ryw ugain munud y bydd yn para.'

Estynnais fy mraich, a gwasgodd Miri Mai beth o'r powdwr arni gyda'r pwff.

Eisteddais yn llonydd ac aros. Dechreuais deimlo rhyw gosi bach yn fy mysedd, ac yn sydyn …

PWFF!

Glaniais mewn cwmwl o fwg pinc, disglair ar y carped meddal. Ro'n i'n bitw bach – a Miri Mai fel cawr wrth fy ymyl.

'Dere!' gwaeddais arni mewn llais main. 'Dy dro di nawr!'

'Mae dy lais di mor ddoniol!' llefodd Miri Mai. 'Rwyt ti'n swnio fel llygoden!' A bu'n chwerthin a chwerthin, nes bod ganddi fola tost.

'Iawn, fy nhro i nawr,' meddai o'r diwedd, gan roi peth o'r powdwr ar ei braich ei hun. Glaniodd wrth fy ochr mewn cwmwl o fwg pinc, disglair.

'Dyma fi,' gwichiodd. 'Edrycha pa mor fach y'n ni!'

Gyda'n gilydd, fe gerddon ni i mewn i'r tŷ dol a dringo'r grisiau. Roedden ni bron wedi cyrraedd y to pan glywson ni sŵn mawr yn dod o rywle.

'Beth yw e?' sibrydais yn ofnus, gan afael ym mraich Miri Mai. 'Mae 'na rywbeth y tu allan i'r tŷ!'

'O, diolch byth!' dywedais wrth gael cip drwy'r ffenest. 'Dim ond Bwni Binc sy 'na, yn sboncio o gwmpas. Druan â hi – does ganddi ddim syniad ble ry'n ni wedi mynd!'

Ac, yn wir, roedd Bwni Binc mewn tipyn o benbleth. Roedd yn hopian o gwmpas y crochan, a golwg bryderus iawn yn ei llygaid bach disglair.

Es i at ffenest y tŷ dol a phwyso allan ohoni. 'Bwni Binc!' gwaeddais yn fy llais gwichlyd. 'Fan hyn ry'n ni – edrycha!'

Pan welodd Bwni Binc fi, dechreuodd

Hufen Iâ
Meddal

ysgwyd ei chlustiau mewn rhyfeddod. Ac yna, yn sydyn, neidiodd i mewn i'r crochan a'i gorchuddio'i hun o'i chlustiau i'w phawennau â'r powdwr pinc. PWFF!

'O na!' llefodd Miri Mai wrth weld Bwni Binc bitw bach yn neidio allan o'r crochan ac ar draws y carped at y tŷ dol.

'Fydd Bwni Binc ddim yn becso am fod yn fach,' dywedais. 'Mae hi eisiau bod yn rhan o'r hwyl.'

'Nid dyna'r broblem,' atebodd Miri Mai. 'Mae'r powdwr dros ei chorff i gyd. Fe fydd hi'n bitw bach am ddyddiau!'

'O, dwi'n gweld …' dywedais, gan ddechrau mynd i banig.

'Wel, sdim pwynt becso am y peth,' meddai Miri Mai wrth i Bwni Binc neidio i fyny'r grisiau ac ar fy nghôl. 'Man a man i ni gael tipyn o hwyl!'

Rhedodd y tair ohonon ni i fyny gweddill y grisiau a dringo ar do y tŷ dol, lle roedd y llithren yn cychwyn.

'Mae hyn yn mynd i fod yn grêt!' meddai Miri Mai. 'Dos di gyntaf, Annalisa.'

Syllais i lawr y llithren. Roedd yn edrych yn serth ac yn droellog.

Yn sydyn, roedd y pwll nofio ar y gwaelod yn edrych yn ddwfn iawn, a do'n i ddim ond newydd ddysgu sut i nofio o dan y dŵr.

'Na, mae'n iawn,' sibrydais. 'Gei di fynd gyntaf.'

Chwarddodd Miri Mai. 'Paid â bod yn gymaint o hen fabi mami! Dos, wir!'

Yn araf, gosodais un droed ar ben y llithren.

'Ond dyw Bwni Binc ddim yn hoffi gwlychu,' dywedais. 'Gwell i mi aros fan hyn i gadw cwmni iddi hi.'

'Fydd Bwni Binc ddim yn becso,' meddai Miri Mai. 'Gall hi aros yma. Ta beth, mae gen ti adenydd – gallet ti wastad hedfan oddi ar y llithren os nad wyt ti'n ei hoffi.'

Roedd hi'n dweud y gwir.

'Iawn …' dywedais, gan fentro gosod y droed arall ar y llithren ac eistedd i lawr. Caeais fy llygaid yn dynn, a gwasgu fy nhrwyn â 'mysedd.

'Un, dau, tri, DOS!' gwaeddodd Miri Mai, gan fy ngwthio yn fy nghefn.

'WHIIIII!' sgrechiais, gan droi a throelli, a 'ngwallt yn hedfan y tu ôl i mi. Rownd a rownd, i lawr ac i lawr, nes …

SBLOSH!

Glaniais yn y twb hufen iâ yn llawn o ddŵr.

'Waw!' llefais, gan dasgu dŵr i bobman wrth geisio cael fy ngwynt. 'Roedd hynna'n gwbl WYYYCH!'

Yr eiliad nesaf, clywais SBLOSH arall, wrth i Miri Mai hedfan oddi ar y llithren a glanio yn y pwll wrth fy ymyl.

'Wel, am hwyl!' dywedodd Miri Mai. 'Dere, gad i ni fynd eto!'

Gafaelais yn ei llaw, a rhuthrodd y ddwy ohonon ni'n ôl i fyny i'r to. Miri Mai aeth gyntaf y tro hwn. Aethon ni i lawr ar ein boliau, wedyn ar ein cefnau, yna aeth y ddwy ohonon ni gyda'n gilydd. Bob tro, roedden ni'n glanio gyda chlamp o SBLOSH fawr yn y twb o ddŵr.

Ro'n i hanner ffordd i lawr y llithren am y pedwerydd tro pan deimlais rhyw gosi bach yn fy mysedd.

O na! meddyliais. Ond cyn i mi allu gwneud dim – PWFF! Ro'n i yng nghanol cwmwl o fwg pinc, disglair.

'Help!' sgrechiais wrth i 'nghorff droi'n ôl i'w faint arferol. Glaniais yn drwm ar y carped, gan wasgu'r llithren yn yfflon o dan fy mhwysau. Ar unwaith, gafaelais yn Miri Mai a Bwni Binc oddi ar do'r tŷ dol, a'u gosod yn saff ar y carped.

PWFF!

Ac yn sydyn roedd Miri Mai, maint llawn, yn sefyll wrth fy ochr. Roedd Bwni Binc yn dal i fod yn bitw bach, felly rhoddais hi i eistedd ar fy llaw.

'Druan o'r llithren,' dywedais yn drist wrth weld y tiwbiau plastig wedi eu gwasgu'n fflat fel crempog. 'Dylen ni fod wedi bod yn fwy gofalus gyda'r powdwr hud.'

'Rwyt ti'n becso gormod,' meddai Miri Mai. 'Gallwn ni wneud llithren arall, dim problem.'

'Dwi'n gwybod hynny,' atebais, 'ond dwi'n teimlo'n drist 'mod i wedi ei thorri.'

Y funud honno, clywais Mam yn galw arnon ni o waelod y grisiau. 'Annaliiiisa! Miri Maaaai! Amser brecwast – dewch!'

Syllais ar fy llaw, lle roedd Bwni Binc yn sboncio lan a lawr. Fedrwn i ddim gadael i Mam a Dad ei gweld hi fel yna, felly gosodais hi'n ofalus ar y gwely.

'Dos di i gysgu am sbel, Bwni Binc,' sibrydais wrthi. 'Erbyn i ni ddod 'nôl, gobeithio y byddi di'n edrych 'run fath ag arfer!'

Pennod DAU

Brysiodd Miri Mai a fi i lawr y grisiau ac i mewn i'r gegin. Yno roedd Mam a Dad, a Babi Blodyn, fy chwaer fach, yn barod i fwyta'r brecwast fin nos. Ar ganol y bwrdd roedd clamp o gacen fawr wedi'i gorchuddio ag eisin pinc, i groesawu Miri Mai.

'Dyma chi o'r diwedd!' meddai Mam.

'Ry'ch chi'n edrych yn wlyb,' meddai Dad gan edrych tuag at y ffenest. 'Gobeithio'n wir nad yw hi'n bwrw glaw. Dwi'n casáu cael gwallt gwlyb pan fydda i'n mynd allan i hedfan yn y nos.'

'Na, dyw hi ddim yn bwrw glaw,' dywedodd Mam gan edrych yn rhyfedd arnon ni. Chwifiodd ei hudlath, ac mewn chwinciad roedd ein dillad yn sych.

'Diolch byth am hynna,' meddai Dad gan gymryd cegaid o'i sudd coch. Dim ond sudd coch mae Dad yn ei yfed – fel pob fampir.

'Gobeithio nad y'ch chi wedi bod yn creu annibendod yn y stafell wely,' meddai Mam wrth dorri'r gacen.

'Ym …' dechreuais feddwl am y llithren fflat fel crempog, a'r dŵr oedd wedi tasgu dros y llawr i gyd.

'Dim o gwbl,' atebodd Miri Mai'n ddiniwed. 'O Anti Ceinwen, mae'r gacen yn edrych yn *hynod* o flasus!'

'Diolch, bach – cacen foron yw hi.' atebodd Mam yn falch.

‘Ffefryn Bwni Binc,’ meddai Dad gan wincio arna i.

Dyw Bwni Binc ddim yn gallu bwyta, ond mae Dad yn hoffi esgus ei bod hi.

‘Ble mae Bwni Binc?’ holodd Mam gan edrych o’i chwmpas. ‘Dyw hi ddim fel arfer yn colli cyfle i gael darn o gacen.’

Dechreuodd fy wyneb deimlo’n dwym.

'Mae hi'n cael hoe fach ar y gwely,' meddai Miri Mai yn gyflym.

'O ie, wrth gwrs,' nodiodd Dad. 'Mae fory'n ddiwrnod mawr i Bwni Binc. Mae'n bwysig ei bod yn cael digon o gwsg.'

'Fory . . ?' holais. *Beth yn y byd sy'n digwydd fory?* Yn sydyn, fe gofiais. Roedd fory'n Ddiwrnod-dod-â'ch-anifail-anwes-i'r-ysgol!

'Anghofiaist ti?!' chwarddodd Dad. 'Rwyt ti wedi bod yn edrych ymlaen ers wythnosau!'

'Mae Bwni Binc wedi bod yn ymarfer triciau i'w dangos i'r dosbarth,' meddai Mam yn falch wrth Miri Mai. 'Fe synnet ti pa mor dda yw hi am jyglo.'

'Ond ro'n i'n meddwl ei bod yn mynd gyda ti i'r ysgol bob dydd, ta beth,' meddai Miri Mai mewn penbleth. 'Mae'r dosbarth i gyd wedi'i gweld hi o'r blaen.'

'Ydyn,' atebais, 'ond does neb wedi gweld ei thriciau.'

'Wela i,' meddai Miri Mai yn araf. Ac wrth iddi fwyta'i brechdan, roedd ei llygaid yn disgleirio'n beryglus.

Ar ôl brecwast, rhuthrodd y ddwy ohonon ni i'r stafell wely. 'Gobeithio'n wir y bydd Bwni Binc wedi mynd 'nôl i'w maint arferol,' sibrydais. Ond roedd hi'n dal i fod yn bitw bach, yn bownsio ar fy ngwely ac yn llithro i lawr y lympiau yn fy nghwilt. Iddi hi, roedden nhw fel mynyddoedd mawr.

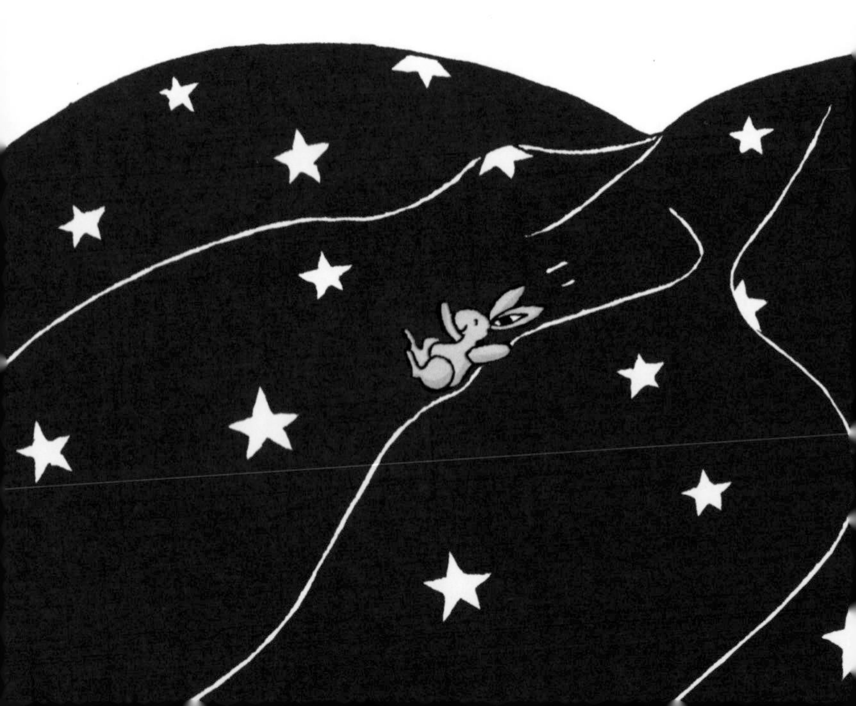

'O na!' llefais. 'Beth os bydd hi fel hyn fory? Alla i ddim mentro mynd â hi i'r ysgol – gallai fynd ar goll!'

'Hmmm,' meddai Miri Mai. 'Mae gen i syniad …'

'Pa syniad?' holais yn bigog. Ro'n i'n dechrau ofni clywed am 'syniadau' Miri Mai.

'Beth am i ti fynd ag anifail anwes cwbl wahanol i'r ysgol fory?' gofynnodd. 'Gallwn i greu rhywbeth hud a lledrith i ti. Rhywbeth na fydd neb wedi'i weld o'r blaen, rhywbeth hollol cŵl. Rhywbeth fel … draig! Meddylia sut byddai'r plant yn ymateb!'

'Wel …' dechreuais yn betrusgar.

'O, plis, rho gyfle i mi,' meddai Miri Mai yn daer.

'Na, dwi ddim yn credu,' atebais. 'Byddai'n rhy beryglus o lawer. Gallai draig roi'r ysgol gyfan ar dân!'

'Wnaiff hi ddim, dwi'n addo,' meddai Miri Mai. 'Galla i wneud un sy ddim ond yn anadlu sêr a gliter. Dim tân. Pliiis? Un ddraig fach giwt!'

'Wel ... falle,' atebais. Roedd y syniad yn dechrau apelio. 'Dim ond un bitw bach.'

Y noson honno, pan oedd Mam a Babi Blodyn yn y gwely a Dad allan yn hedfan, estynnodd Miri Mai yr offer hud a lledrith eto. Eisteddodd y ddwy ohonon ni yn y tywyllwch a defnyddiais fy hudlath fel tortsh.

Yn ofalus, rhoddodd y cynhwysion i mewn i'r crochan: pinsiad o lwch sêr, dyrnaid o groen draig, gliter, a llond llaw o betalau sych. Wrth droi'r gymysgedd roedd Miri Mai yn adrodd rhyw eiriau rhyfedd.

'Aros di … a gwylio,' sibrydodd hi.

Yn sydyn, heb i neb ei chyffwrdd, dechreuodd y gymysgedd droi a throi. Rownd a rownd â hi, gan ffurfio siâp pêl. Yn sydyn, dechreuodd y bêl dyfu cynffon … a choesau … a thraed a chrafangau.

'Edrycha ar yr adenydd!' sibrydodd Miri Mai.

Gwyliodd y ddwy ohonon ni'n ofalus wrth i'r creadur fagu siâp a ffurf draig bitw bach.

'O! Mae hi mor giwt!' llefais.

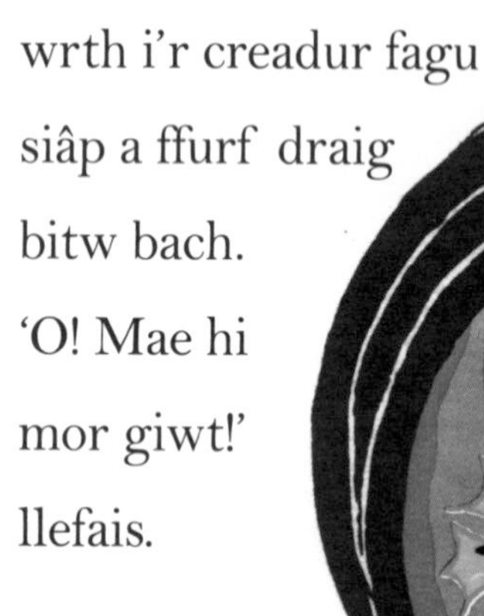

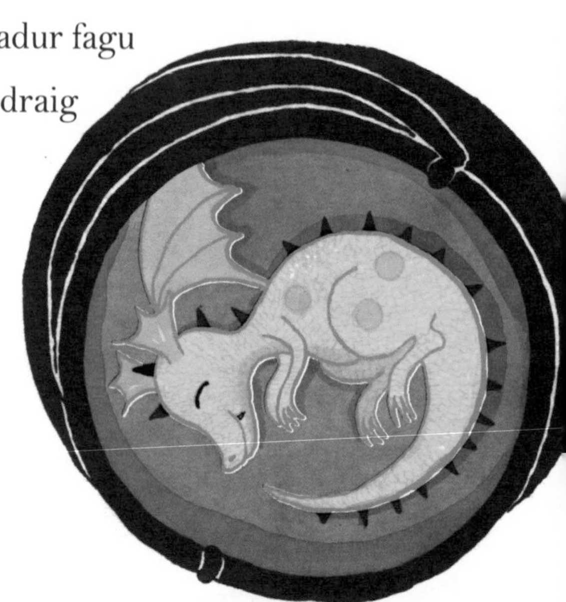

Estynnodd Miri Mai i mewn i'r crochan a rhwbio cefn y ddraig yn ysgafn â'i llaw. Gwasgodd y ddraig ei hun i mewn i'w bysedd a gwichian yn dawel.

'Dy dro di nawr,' meddai Miri Mai. 'Dim ond babi bach yw hi, cofia – gofala amdani. Cododd y ddraig fach a'i gosod yn fy nghôl, cyn neidio oddi ar fy ngwely i ac i mewn i'w gwely ei hun.

'Nos da, Annalisa,' meddai hi gan orwedd i lawr a chau ei llygaid. Ymhen eiliad neu ddwy, roedd hi'n chwyrnu.

Gosodais y ddraig fach o dan fy nghwilt. Ro'n i wedi gosod Bwni Binc mewn bocs matsys ar y cwpwrdd wrth ymyl y gwely, rhag ofn i mi ei gwasgu'n ddamweiniol yn y nos!

Ro'n i ar fin cwympo i gysgu pan …

Gwich, gwich, gwich.

Agorais un llygad.

Gwich! Gwich! Gwich!

Druan â'r ddraig fach – roedd hi'n amlwg yn teimlo'n unig. Estynnais fy llaw a'i mwytho'n ysgafn. 'Nawr dos i gysgu,' sibrydais. 'Rhaid i mi godi i fynd i'r ysgol fory!'

Cyrliodd y ddraig fach yn belen, a chaeais innau fy llygaid. Ro'n i'n dechrau llithro'n araf i Wlad y Breuddwydion pan …

Gwich, gwich, gwich!

GWICH! GWICH! GWICH!

Codais ar fy eistedd yn y gwely. 'Shhh!' sibrydais, gan fwytho'r ddraig fach eto. 'Dos i gysgu, wir, rhag ofn i ti ddeffro Mam a Babi Blodyn!'

Tawelodd y ddraig fach o'r diwedd, a gorweddais innau'n ôl yn y gwely. Erbyn i mi gwympo i gysgu, roedd hi ymhell wedi hanner nos. Ro'n i'n dal yn hanner cysgu pan ddaeth Miri Mai i 'neffro yn y bore.

'Amser codi, Annalisa!' gwaeddodd, gan neidio o'i gwely'n llawn egni. 'Ble mae'r ddraig?'

Syllais arni drwy lygaid hanner agored. 'Pa ddraig?' holais yn gysglyd.

Yn sydyn, daeth y cyfan yn ôl i mi. Y ddraig!

Codais ar fy eistedd ac edrych o 'nghwmpas. Doedd dim golwg o'r ddraig yn y gwely … ond roedd llwybr o gliter pinc a sêr pitw bach yn arwain at ddrws fy stafell.

Dilynodd Miri Mai a fi y llwybr disglair yr holl ffordd i lawr i'r gegin.

'Wyddoch chi unrhyw beth am yr annibendod 'ma?' holodd Mam, gan bwyntio at y llawr, oedd yn sêr a gliter drosto i gyd.

'Wel … ' dechreuais esbonio.

'Na,' meddai Miri Mai. 'Ry'n ni wedi bod yn cysgu'n drwm drwy'r nos.' Gwenodd ar Mam a mynd i eistedd wrth y bwrdd. Eisteddais innau wrth ei hochr, ond fedrwn i ddim ymlacio. Ro'n i'n teimlo'n euog am nad oedden ni wedi dweud y gwir.

'Noswaith dda!' galwodd Dad yn hapus wrth iddo gyrraedd yn ôl o'i sesiwn hedfan. 'O, mae'n ddrwg gen i, *bore* da ddylai hynna fod!' Aeth i hongian ei glogyn yn y cyntedd. Ac yna …

'Beth yn y byd yw *hwn*?' taranodd wrth ddod i mewn i'r gegin yn cario'i sliperi rhwng un bys a bawd. 'Ych a fi!' llefodd wrth weld sleim disglair yn diferu oddi arnyn nhw.

O, na! meddyliais.

'Mae rhywbeth wedi glafoerio dros fy sliperi i!' llefodd Dad. 'Ych a fi! Alla i byth

bythoedd wisgo'r rhain eto! Fyddai'r un fampir gwerth ei halen yn gwisgo sliperi ar ôl i rywbeth lafoerio drostyn nhw!'

'Byddai fampir sy'n poeni am yr amgylchedd yn ddigon bodlon,' meddai Mam, gan daro'r sliperi â'i hudlath i wneud i'r sleim ddiflannu. 'Paid â'u taflu nhw i ffwrdd – gwastraff llwyr fyddai hynny.'

Roedd Miri Mai yn chwerthin yn dawel y tu ôl i'w thost a mêl, ond do'n i ddim yn gweld y peth yn ddoniol o gwbl. Ro'n i'n becso gormod am y ddraig. Ble oedd hi?

Syllodd Mam ar Miri Mai, a dweud, 'Hmmm. Mae 'na rywbeth rhyfedd iawn yn digwydd fan hyn. A dwi'n credu eich bod chi'ch dwy yn gwybod beth ...'

'Na'dyn, wir yr,' mynnodd Miri Mai.

Ddywedais i 'run gair. Do'n i ddim eisiau dweud celwydd, ond do'n i chwaith ddim eisiau edrych fel ffŵl o flaen Miri Mai.

'Dwi'n credu taw Babi Blodyn sy wedi glafoerio ar sliperi Dad,' dywedais yn gyflym. 'Ac roedd ganddi hi becyn o secwins yn ei llaw ddoe. Mae'n rhaid ei bod wedi eu colli dros y llawr.'

'Mae'n rhaid!' cytunodd Miri Mai.

'Hmmm,' meddai Mam yn ansicr. 'A ble mae Bwni Binc? Dwi ddim wedi ei gweld hi ers ddoe.'

'Mae hi yn fy stafell i,' atebais. O leiaf ro'n i'n dweud y gwir y tro hwn.

'Ydy,' ychwanegodd Miri Mai. 'Mae hi'n paratoi ar gyfer ei diwrnod mawr, yn dewis beth i'w wisgo!'

Doedd Mam ddim yn edrych yn hapus.

Bwytais y tost a mêl yn araf, ond rhywsut doedd dim blas arno.

'Rhaid i mi baratoi i fynd i'r ysgol,' dywedais yn sydyn, gan neidio o'r gadair a brysio o'r gegin. Ble oedd y ddraig, tybed? Roedd 'na sêr a gliter drwy'r tŷ i gyd! Chwiliais yn y tŷ bach, y neuadd fawr, y stafell fwyta orau, a'r lolfa – ond doedd dim golwg o'r ddraig yn unman.

Dringais y grisiau'n araf yn ôl i'r stafell wely . . . a dyna lle roedd hi! Eisteddai'n falch ar fy ngwely, yn pwffian

cymylau o sêr a gliter i'r aer. A chredwch chi byth – roedd hi dair gwaith y maint roedd hi neithiwr!

'Mae hi'n ANFERTH!' llefais wrth Miri Mai. 'Un bitw bach oedd hi i fod – fe wnest ti addo!'

'Wel, ie, ond draig hud yw hi, cofia. Fydd hi ddim ond yn para am un diwrnod cyn diflannu.' Edrychodd ar y cloc. 'A bod yn onest, mae hi'n siŵr o fod yn ei harddegau erbyn hyn.'

'Beth?!' llefais. 'Alla i ddim mynd â draig yn ei harddegau i'r ysgol!'

'Wrth gwrs y galli di,' mynnodd Miri Mai. 'Bydd dy ffrindiau i gyd wrth eu bodd!'

'Falle …' dywedais yn ansicr wrth estyn fy nillad ysgol o'r cwpwrdd. 'Ond trueni nad wyt ti'n gallu dod gyda fi. Sut yn y byd alla i

edrych ar ei hôl hi ar ben fy hun?'

'Byddi di'n iawn,' atebodd Miri Mai. 'A ta beth, does gen i ddim bwriad o gwbl i fynd i'r ysgol gyda ti heddiw – mae'n wyliau hanner tymor! Jest ymlacia, Annalisa!'

Trueni nad oedd yn wyliau hanner tymor i minnau hefyd. Mae gwyliau ysgol y gwrachod a gwyliau ysgol y plant yn gwbl wahanol. Ro'n i wedi dewis mynd i ysgol y plant – er 'mod i'n hanner fampir, hanner tylwythen deg.

Gwnes fy ngorau glas i ymlacio, a rhoddais sws 'hwyl fawr' i Bwni Binc. Tynnais y cordyn oddi ar fy ngŵn llofft a'i glymu fel tennyn o gwmpas gwddw'r ddraig.

'Mae 'na un broblem,' dywedais wrth Miri Mai. 'Sut ydw i'n mynd i gael y ddraig allan o'r tŷ heb i Mam a Dad ei gweld?'

'Hawdd,' atebodd hithau. 'Galli di hedfan allan o ffenest dy stafell wely. Mae gan y ddraig adenydd hefyd, cofia! Fe ddyweda i wrth dy fam dy fod yn rhedeg yn hwyr ac wedi gorfod mynd ar frys gwyllt. Fe ddyweda i fod Bwni Binc yn methu'n lân â phenderfynu beth i'w wisgo.'

Ysgydwodd Bwni Binc ei phen yn grac ar Miri Mai.

'Na, paid â beio Bwni Binc druan – nid arni hi mae'r bai am hyn,' dywedais yn frysiog. Gafaelais yn dynn yn y cordyn ac arwain y ddraig tuag at y ffenest.

'Hwyl!' galwodd Miri Mai yn hapus wrth i mi gamu allan o'r ffenest a fflapio fy adenydd. Tynnais ar y cordyn, a neidiodd y ddraig hithau allan i haul y bore. Roedd gen i hiraeth mawr am Bwni Binc, ac ro'n i'n teimlo'n drist 'mod i heb roi sws i Mam a Dad cyn mynd – ond pa ddewis arall oedd gen i?

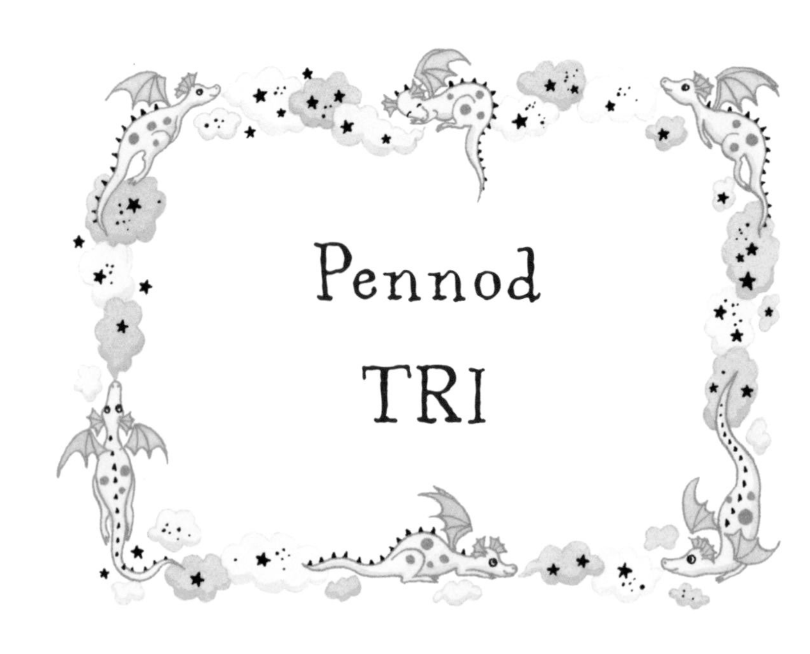

Pennod TRI

Gyda'n gilydd, hedfanodd y ddraig a fi dros y dref i gyfeiriad yr ysgol. Wrth i ni ddod yn nes, gallwn weld rhai o'm ffrindiau'n sefyll mewn grŵp ar y cae chwarae. Roedd gan bawb ei anifail anwes.

'Edrychwch!' gwaeddodd Osian, gan bwyntio i'r awyr. 'Annalisa!'

'Helô, Annalisa!' galwodd Sioned.

‘Waw!’ llefodd Angharad. ‘Mae hi wedi dod â DRAIG i’r ysgol!’

Wrth i mi lanio ar y cae chwarae gyda’r ddraig, rhuthrodd pawb tuag ataf.

‘Mae hynna’n wych!’ meddai Jac.

‘Anhygoel!’ cytunodd Bleddyn.

‘Welais i erioed y fath beth!’ llefodd Sioned.

Gwenodd y ddraig yn falch, a phwffian cwmwl o sêr a gliter i’r aer. Roedd ei chroen yn disgleirio yn yr haul. Ro’n i’n teimlo’n hapus iawn ’mod i wedi dod ag anifail anwes mor ddiddorol i’r ysgol.

‘Hoffech chi fynd am reid ar ei chefn hi?’ gofynnais i’m ffrindiau. ‘Dwi’n siŵr y bydd hi’n ddigon bodlon.’

‘Grêt!’ llefodd Bleddyn. ‘Ga i fynd gyntaf?’

Neidiodd ar gefn y ddraig, a chododd hithau’n uchel i fyny i’r awyr. Hedfanodd mewn cylch bach cyn glanio’n ofalus ar y ddaear.

'Waw – roedd hynna'n *wych*!' gwichiodd Bleddyn.

'Fy nhro i nesaf!' mynnodd Osian.

Fesul un, cafodd fy ffrindiau i gyd reid ar gefn y ddraig. Ond, yn sydyn, sylwodd Miss Morgan yr athrawes fod rhywbeth rhyfedd yn digwydd; rhuthrodd i'r cae chwarae a golwg bryderus ar ei hwyneb.

'Beth sy'n digwydd?' gwaeddodd. 'Byddai'r Pwyllgor Iechyd a Diogelwch yn wyllt petaen nhw'n clywed am hyn! I mewn â chi, bawb – ar unwaith!'

Hedfanodd y ddraig yn ôl i'r ddaear. Cerddodd pawb yn dawel y tu ôl i Miss Morgan ac i mewn i'r ysgol.

Eisteddais wrth fy nesg, a'r ddraig ar

y sedd nesaf. Roedd hi'n dal i bwffian sêr a gliter i'r aer. 'A-A-ATISHW!' Dechreuodd y bachgen o 'mlaen i disian.

'Nawr 'te,' meddai Miss Morgan, 'dwi am ofyn i bawb ohonoch chi ddod i flaen y dosbarth yn eich tro a siarad am eich anifail anwes. Pwy sy am ddod gyntaf?'

Saethodd llaw Bleddyn i'r awyr, a gofynnodd Miss Morgan iddo ddod ymlaen.

'Ifan yr igwana yw hwn,' meddai

Bleddyn, gan ddal y creadur yn ei law er mwyn i bawb ei weld. 'Mae ganddo gynffon – *a-a-atishw!* – streipiog a rhaid iddo – *a-a-atishw!* – gael ei gadw'n gynnes bob amser…'

'Da iawn,' meddai Miss Morgan. *'A-a-atishw!'*

Er bod Bleddyn druan yn gwneud ei orau glas i ddweud rhagor, roedd yn cael trafferth siarad. Erbyn hyn, roedd yr awyr yn dew o sêr a gliter, a phawb yn tisian yn uchel. Mae gliter yn beth coslyd iawn pan fydd e'n mynd i mewn i'ch trwyn!

'O diar!' llefodd Miss Morgan. 'Dos di nesaf, Annalisa, wedyn gei di fynd â'r ddraig allan am sbel.'

Cerddais i flaen y dosbarth, a'r ddraig yn fy nilyn yn llawn cyffro gan ysgwyd ei chynffon. 'Ym … ' dechreuais, gan deimlo braidd yn swil. 'Draig – *a-a-atishw!* – yw hon!'

'Mae dreigiau'n hoffi … ym … ' dywedais, cyn tewi'n sydyn wrth sylweddoli 'mod i'n gwybod y nesaf peth i ddim amdanyn nhw. *'ATISHWWW!'*

Fflapiodd y ddraig ei hadenydd, gan daro yn erbyn llond bocs o bensiliau a chreonau oedd ar ddesg Miss Morgan. Tasgodd y cyfan dros bob man.

'Dwi'n credu … ' dechreuodd Miss Morgan. Ond yr eiliad honno, trawodd y ddraig yn erbyn rhes o botiau paent. Cwympodd y cyfan ar lawr, gan agor a thasgu paent lliwgar dros y llawr a'r waliau.

'O, na!' llefais.

Ond roedd y ddraig wrth ei bodd. Cododd i'r awyr a cheisio hedfan o amgylch y stafell, gan daro yn erbyn popeth oedd yn ei llwybr. Dechreuodd ci bach Sioned gyfarth a neidio ar y desgiau. Roedd cath Angharad yn mewian yn uchel, a gwelodd neidr Jac ei chyfle i ddianc o'i chawell.

'Help!' sgrechiodd Angharad, gan neidio ar ben y ddesg. 'Mae'r neidr wedi dianc!'

O fewn deg eiliad, roedd y stafell ddosbarth mewn anhrefn llwyr.

'HEEEELP!' sgrechiodd Angharad.

'Ble mae fy neidr i?' gwaeddodd Jac.

'STOP!' llefais wrth y ddraig.

Ond doedd gan y ddraig ddim awydd stopio. Roedd hi'n cael llawer gormod o hwyl.

'O mam bach, beth wna i?' llefodd Miss Morgan, a'i phen yn ei dwylo.

Doedd gen i ddim syniad sut i helpu. Roedd y ddraig yn dinistrio'r stafell ddosbarth. Hedfanai mewn cylchoedd, gan falurio popeth oedd yn ei ffordd. Doedd ond un peth amdani …

Agorais y ffenest.

Wrth i'r ddraig deimlo'r awyr iach ar ei chroen, hedfanodd yn syth at y ffenest. *Fflap, fflap, fflap* – gallwn glywed ei hadenydd yn symud, a theimlwn fy ngwallt yn chwythu yn yr awel. Roedd sêr a gliter yn chwyrlïo o gwmpas y stafell.

Ac mewn eiliad roedd hi wedi mynd. Hedfanodd ar draws y cae chwarae, i fyny, i fyny i'r awyr, a chordyn fy ngŵn llofft yn dal i hongian o gwmpas ei gwddw.

Gobeithio'n wir y bydd hi'n hedfan yn ddigon pell i ffwrdd, a byth yn dod yn ôl, meddyliais.

Caeais y ffenest yn gyflym rhag ofn i anifail anwes arall ddianc.

'Annalisa Swyn,' meddai Miss Morgan, 'rwyt ti mewn trwbwl. Trwbwl *mawr*.'

Ro'n i'n teimlo fy wyneb yn cochi.

Do'n i erioed wedi bod mewn trwbwl yn yr ysgol o'r blaen.

'Roedd dod â draig i'r ysgol yn gwbl anghyfrifol. Dyw draig *ddim* yn anifail anwes addas ar gyfer y stafell ddosbarth.'

'Mae'n wir ddrwg gen i,' sibrydais, gan edrych ar y llawr. 'Ro'n i jest … '

'Dwi'n mynd i dy anfon di adre am weddill y dydd,' meddai Miss Morgan. 'Dos i'r swyddfa i wneud trefniadau gyda'r ysgrifenyddes. A gwell i ti dreulio'r pnawn yn chwilio am y ddraig 'na!'

Roedd fy llygaid yn llawn dagrau wrth i mi gerdded yn araf tuag at y drws. Gafaelodd Sioned yn fy mraich. 'Paid â becso,' sibrydodd. 'Bydd Miss Morgan yn dod ati'i hun yn fuan.'

'Ces i fy anfon adre unwaith,' meddai Bleddyn yn dawel.

Ond hwn oedd y tro cyntaf erioed i mi. Ro'n i'n teimlo mor drist wrth gerdded drwy'r neuadd at stafell yr ysgrifenyddes. Curais ar y drws.

'Dewch i mewn!' galwodd llais fel cloch.

Agorais y drws a gweld Miss Prys yn eistedd y tu ôl i'r ddesg, yn gwisgo'i sbectol binc arferol.

‘Sut alla i dy helpu di, Annalisa Swyn?’ gofynnodd gan wenu. ‘Wyt ti wedi ennill seren aur arall?’

Llyncais yn galed wrth geisio cadw’r dagrau rhag llifo.

‘Mae Miss Morgan wedi fy anfon i adre,’ sibrydais.

‘O diar,’ meddai wedi’i syfrdanu. ‘Beth ddigwyddodd?’

A dywedais y cyfan wrthi am Miri Mai, a’r ddraig. Nodiodd Miss Prys yn ddifrifol.

‘Wel, dwi’n credu ei bod hi’n hen bryd i ti ddal dy dir gyda’r gyfnither ddireidus ’na!’ meddai.

Cododd y ffôn a phwyso rhif ein

tŷ ni. 'Bore da, Mrs Swyn,' meddai. 'Ysgrifenyddes yr ysgol sy 'ma. Mae arna i ofn bod raid i mi ofyn i chi ddod i gasglu Annalisa'n gynnar o'r ysgol heddiw … mmmm … ie. Gaiff hi esbonio i chi. Dyna ni, diolch yn fawr – hwyl am y tro.' Rhoddodd y ffôn i lawr a gwenu arna i.

'Bydd popeth yn iawn, Annalisa fach,' meddai'n garedig. 'Aros di yma nes daw Mam. Fydd hi ddim yn hir.'

Ac yn wir, roedd Mam yno o fewn deng munud. Rhaid ei bod wedi hedfan fel y gwynt.

'Beth yn y byd ddigwyddodd?' gofynnodd wrth i ni gerdded ar draws y cae chwarae. 'Pam wyt ti wedi cael dy anfon adre? A ble mae Bwni Binc?'

'Wel ... ro'n i ... ' dywedais cyn tewi'n sydyn. Fedrwn i ddim dioddef dweud y gwir wrth Mam.

'Roedd gen i fola tost,' dywedais yn gelwyddog. 'Ac mae Sioned am ddod â Bwni Binc draw i'r tŷ yn nes ymlaen.'

Roedd yn gas gen i ddweud celwydd, a do'n i ddim yn siŵr a fyddai Mam yn credu'r stori am Bwni Binc. Ond nodiodd ei phen a dweud, 'Druan â ti. Gwell i ni fynd adre ar unwaith i ti gael hoe fach.'

Gafaelodd yn fy llaw, a chododd y ddwy ohonom yn uchel i'r awyr, gan fflapian ein hadenydd.

Pennod PEDWAR

Pan gyrhaeddon ni adre, roedd Miri Mai yn y gegin lle roedd Mam a hithau wedi bod yn pobi bisgedi siâp seren. Roedden nhw'n amlwg wedi cael amser hyfryd.

'O, iym,' dywedais gan estyn am un o'r bisgedi.

'Dyw hynna ddim yn syniad da,' meddai Mam gan symud fy llaw. 'Mae gen ti fola tost, cofia. Diod o ddŵr – dyna'r peth gorau i ti.'

'Ble mae'r ddraig?' sibrydodd Miri Mai cyn gynted ag roedd Mam wedi troi ei chefn.

'Wedi hedfan i ffwrdd,' sibrydais. 'Shhh!'

Treuliais weddill y pnawn yn eistedd yn y gegin gyda Mam a Miri Mai, yn eu gwylio'n addurno'r bisgedi tra 'mod i'n

sipian dŵr. Es i'r stafell wely unwaith neu ddwy i weld sut roedd Bwni Binc, ond roedd hi'n dal i fod yn bitw bach.

Erbyn amser brecwast, doedd Bwni Binc ddim wedi tyfu 'run fodfedd.

'Ro'n i'n meddwl bod Sioned yn galw draw gyda Bwni Binc,' meddai Mam wrth roi brechdanau a chacennau ar y bwrdd.

'Mae hi wedi bod,' atebodd Miri Mai yn gyflym. 'Roeddech chi yn y llofft gyda Babi Blodyn. Mae Bwni Binc yn cael hoe fach – mae hi wedi blino!'

'Mae Bwni Binc wedi bod yn cysgu llawer yn ddiweddar,' meddai Dad yn amheus.

'Ydy, mae hi,' cytunodd Mam, gan syllu arna i.

'Brechdanau HYFRYD, Anti Ceinwen!' meddai Miri Mai mewn llais uwch nag arfer. 'Maen nhw MOR flasus!'

'O, diolch i ti, bach,' atebodd Mam, yn wên o glust i glust. 'Rhai hud a lledrith ydyn nhw – maen nhw'n newid blas bob tro rwyt ti'n cymryd cegaid.'

'Dim rhyfedd eu bod nhw mor arbennig,' meddai Miri Mai. 'Iym! Sbréd siocled a jam!'

Estynnais am frechdan, ond doedd gen i fawr o awydd bwyd. Ro'n i'n teimlo *mor* euog am ddweud yr holl gelwyddau wrth Mam a Dad. A byddai'n help mawr petai Bwni Binc yn troi'n ôl i'w maint arferol!

Yn sydyn, clywais sŵn byddarol. CLANG! CRASH! CRENSH! *O na,* meddyliais. *Dyna'r union fath o sŵn fyddai draig yn ei wneud petai hi'n rhydd yn y tŷ …*

'Beth ar y ddaear oedd hwnna?' holodd Mam.

'Dim syniad,' atebodd Dad gan godi ar ei draed a lapio'i glogyn o'i gwmpas. 'Rhaid i ni fod yn ofalus, falle bod lleidr yn y tŷ! Fe dafla i'r sudd coch 'ma drosto – bydd hynny'n rhoi braw iddo fe!'

Cododd Mam ei hudlath. 'Dwi'n

credu y byddai hon yn fwy defnyddiol,'

meddai.

'Galla i ymosod ar y lleidr â'r fforc 'ma,'

meddai Miri Mai yn llawn cyffro.

Ac i ffwrdd â ni i gyd ar ras i fyny'r

grisiau i'r stafell 'molchi.

Er i mi wneud fy ngorau i wthio heibio i bawb, llwyddodd Dad – yn ei glogyn fampir hudol – i gyrraedd yno o 'mlaen.

'BETH YN Y BYD . . !!' taranodd Dad wrth iddo gerdded i mewn i'r stafell.

Ac yno, yn y bath, eisteddai'r ddraig. Yn ei cheg roedd hanner pibell ddŵr roedd hi wedi'i rhwygo o'i lle o dan y sinc. Roedd dŵr yn llifo dros lawr y stafell 'molchi, a sêr a gliter yn arnofio ar yr wyneb.

Chwifiodd Mam ei hudlath i stopio'r llif dŵr. 'Fe wnaiff hynna'r tro am nawr,' meddai, 'ond rhaid i ni alw'r plymer fory i'w drwsio'n iawn.'

Syllodd ar y ddraig, ac yna arna i. 'Annalisa Swyn,' meddai mewn llais difrifol.

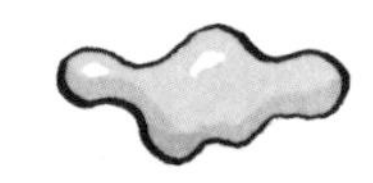

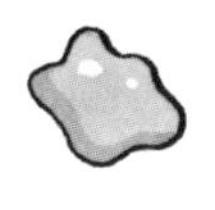

'Beth yw hwnna o gwmpas gwddw'r ddraig? Mae'n debyg iawn i'r cordyn ar dy ŵn llofft di.'

Fedrwn i ddim dioddef edrych i fyw ei llygaid.

'Reit,' meddai Dad. 'Be sy wedi bod yn mynd 'mlaen? Rwyt ti wedi bod yn ymddwyn yn od iawn, Annalisa.'

'Do wir,' cytunodd Mam. 'Gwneud pethau slei, a dweud celwydd.'

'Mae'n wir ddrwg gen i,' dywedais mewn llais bach. Ddywedodd Miri Mai 'run gair.

'Y gwir, plis,' mynnodd Mam. 'Ife Bwni Binc sy yn y bath? Wyt ti wedi ei throi hi'n ddraig?

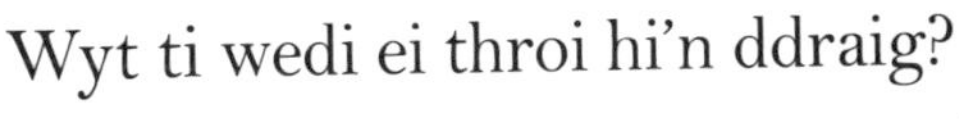

Ai dyna pam nad y'n ni wedi'i gweld hi'n ddiweddar?'

'Na, nid Bwni Binc yw honna!' chwarddodd Miri Mai.

Ond doedd Mam ddim yn gweld y peth yn ddoniol o gwbl.

'Mae Bwni Binc yn cysgu,' meddai Miri Mai. 'Mae hi'n ...'

Ond ro'n i wedi cael llond bol ar ddweud celwydd.

'Na, dyw hi ddim yn cysgu,' dywedais wrth Mam a Dad. 'Mae hi wedi troi'n Bwni Binc bitw bach.'

'Beth?!' llefodd Dad.

'Fe wnaethon ni gymysgedd hud a lledrith,' dywedais. 'Neidiodd Bwni Binc i mewn iddi, a nawr mae hi'n bitw bach. Ac wrth iddi dyfu'n fawr eto, fe chwalodd y tŷ dol yn rhacs jibidêrs. Wedyn fe wnaethon ni gymysgedd arall er mwyn i mi gael anifail anwes diddorol i fynd gyda fi i'r ysgol – draig. Ond fe wnaeth y ddraig annibendod ym mhobman, a rhoddais y bai ar Babi Blodyn. Wedyn ro'n i mewn trwbwl mawr yn yr ysgol, a ches fy anfon adre … felly dwedais wrth Mam fod gen i fola tost … o, dwi mor sorri, Mam a Dad.'

'Wela i,' meddai Dad yn araf, a golwg siomedig ar ei wyneb.

Ysgydwodd Mam ei phen, a dechreuais innau lefain. Roedd Miri Mai yn dal i sefyll yn ei hunfan, heb ddweud gair.

'Chei di ddim mynd cam o'r tŷ 'ma am wythnos,' meddai Dad. 'Dim rhagor o hedfan. Dim hud a lledrith, a dim brechdanau mêl chwaith.'

'Cytuno'n llwyr,' meddai Mam. 'A'r holl gelwyddau! Pa fath o esiampl wyt ti'n ei rhoi i dy gyfnither?'

Sniffiais yn drist.

O'r diwedd, dechreuodd Miri Mai siarad. Roedd ei hwyneb yn goch.

'Ym,' meddai, 'peidiwch â rhoi'r bai i gyd ar Annalisa. Rydw innau ar fai hefyd – mwy, os rhywbeth. Fi berswadiodd Annalisa.

Doedd hi ddim eisiau gwneud y ddraig, na mynd â hi i'r ysgol. Doedd hi ddim yn awyddus i wneud y gymysgedd hud chwaith. Mae'n wir ddrwg gen i.'

'Hmmm,' meddai Mam a Dad gyda'i gilydd, gan droi tuag ataf i.

'Mae'n hen bryd i ti fagu asgwrn cefn,

Annalisa,' meddai Mam.

'Ddylet ti byth adael i rywun arall dy berswadio di i wneud rhywbeth yn erbyn dy ewyllys,' meddai Dad. 'A Miri Mai – fe ddylet ti wybod yn well. Rwyt ti'n hŷn nag Annalisa. Dim rhagor o ddwli am weddill yr wythnos, iawn?'

'Iawn, Wncwl Caleb,' sibrydodd Miri Mai.

'Dyna ni, 'te,' meddai Mam. 'Gallwn roi'r cyfan tu cefn i ni.'

'Ond peidiwch ag anghofio beth ddwedais i – chewch chi ddim mynd allan o'r tŷ am wythnos. Y DDWY ohonoch chi,' meddai Dad. Gafaelodd yn y cordyn oedd o gwmpas gwddw'r ddraig, a'i harwain allan

o’r stafell ’molchi.

Aethon ni’n ôl i’r gegin gyda’r ddraig, a gorffen ein brecwast. Mae’n rhaid bod y ddraig yn llwgu – bwytodd y brechdanau i gyd, ac wedyn y cacennau. Fe wnaeth hi hyd yn oed yfed gwydraid o sudd coch Dad – ych!

‘Druan ohoni,’ meddai Mam, yn llawn cydymdeimlad.

Ar ôl brecwast, aeth Miri Mai a fi yn ôl i'r stafell wely gyda'r ddraig. Erbyn hyn, roedd hi bron cymaint â char! Yno, yn eistedd ar y gwely, roedd Bwni Binc … ac roedd hi'n ôl i'w maint arferol!

'O, Bwni Binc!' llefais, gan roi clamp o gwtsh iddi. 'Diolch byth!'

Roedd Bwni Binc wrth ei bodd yn cael yr holl sylw, ac ysgydwodd ei chlustiau'n hapus. Fflapiodd y ddraig ei hadenydd hithau.

'Mae'n debyg fod y ddraig yn hen iawn erbyn hyn,' meddai Miri Mai. 'Yn gant oed, o leiaf.'

'Mae hi'n aflonydd iawn,' sylwais. 'Wyt ti'n meddwl bod angen iddi hi hedfan

ychydig?’

‘Falle,’ atebodd Miri Mai gan agor y ffenest. ‘Beth am i ni’n dwy fynd am un daith fer ar ei chefn cyn iddi ddiflannu?’

‘Dwn i ddim …’ atebais yn ansicr.

'Dyw Dad ddim yn fodlon i mi hedfan am o leiaf wythnos.'

'Nac ydy. Ond cofia di,' meddai Miri Mai, a'i llygaid yn fflachio'n ddireidus, 'nid y *ni* fyddai'n hedfan. Y ddraig fyddai'n gwneud hynny!'

Roedd ganddi hi bwynt. Ro'n i *mor* awyddus i fynd ar un daith fach arall – ac nid oherwydd bod Miri Mai am i mi wneud.

'Iawn,' dywedais yn gadarn, 'ond dwi'n mynd oherwydd 'mod i *eisiau* mynd, nid oherwydd dy fod ti'n meddwl ei fod yn syniad da.'

Dringodd y ddwy ohonon ni ar gefn y ddraig, a gafaelais yn dynn yn Bwni Binc. PWFF! Chwythodd y ddraig gwmwl o sêr a gliter allan o'i thrwyn. Yna hedfanodd drwy'r ffenest, ac allan i'r awyr glir lle roedd y sêr yn disgleirio fel diemwntau.

'Roedd hynna'n WYCH!' dywedais wrth i ni gyrraedd yn ôl i'r stafell.

'Oedd, wir,' cytunodd Miri Mai.

Agorodd y ddraig ei cheg yn llydan cyn cyrlio'n belen ar lawr y stafell. Aeth Miri Mai a fi i'r gwely, a diffodd y golau.

'Nos da, ddraig,' medden ni. 'Diolch am yr antur!'

Pan ddeffron ni y bore wedyn, doedd dim golwg o'r ddraig yn unman. Ar y llawr roedd pentwr bach o sêr a gliter. Ro'n i'n teimlo'n drist.

'Paid â becso,' meddai Miri Mai. 'Galla i wastad greu draig hud arall i ti!'

'Paid ti â meiddio!' dywedais yn gadarn.

'Ond … ' dechreuodd Miri Mai.

'NA!' atebais, gan neidio allan o'r gwely a gosod y tŷ dol ar ganol y llawr. 'Gawn ni chwarae fy hoff gêm *i* heddiw,' dywedais. 'Ar ôl brecwast, gallwn ni wneud cymeriadau bach sy'n edrych 'run ffunud â ni. Fe fydd e'n hwyl!'

Es i estyn fy mocs o ddefnyddiau. 'Fyddwn ni ddim angen hud, chwaith,' dywedais yn hapus. 'Gallwn ni wneud y doliau yn y ffordd hen ffasiwn. Bydd fy noli i'n gwisgo twtw ddu.'

'Syniad da,' meddai Miri Mai, gan ddechrau cyffroi. 'Ga i wneud bŵts du â blaen pigog arnyn nhw ar gyfer fy noli i?'

'Wrth gwrs y cei di,' atebais. 'Bydden nhw'n edrych yn anhygoel! A gallen ni

wneud Bwni Binc bitw bach hefyd.'

Ac i ffwrdd â'r ddwy ohonom i'r gegin i gael brecwast, gyda Bwni Binc yn sboncio y tu ôl i ni.

'Wyddost ti beth fyddai'n hwyl?' meddai Miri Mai, a'i llygaid yn disgleirio'n beryglus unwaith eto. 'Gallen ni ddefnyddio hud a lledrith i wneud y doliau'n fyw!'

'NA!' dywedais yn bendant. 'Dim gobaith.'

'O, olreit 'te,' atebodd Miri Mai yn dawel.

'Ond fe fydd e'n lot fawr o hwyl, dwi'n addo,' dywedais.

Ac ro'n i'n iawn hefyd – roedd e *yn* hwyl!

Pa un wyt ti – tylwythen deg neu fampir?

Rho gynnig ar y cwis i gael yr ateb!

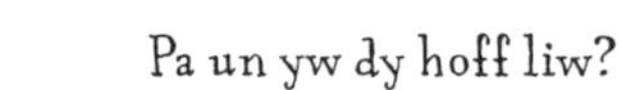

Pa un yw dy hoff liw?

A. Pinc **B.** Du **C.** Dwi'n hoffi'r ddau!

I ba ysgol hoffet ti fynd?

A. Ysgol yn llawn pethau disglair, sy'n dysgu hud a lledrith, bale, a sut i wneud coron flodau?

B. Ysgol sbŵci sy'n dysgu sut i hedfan yn y nos, hyfforddi ystlumod a sut i gael gwallt sgleiniog?

C. Ysgol lle mae pawb yn cael cyfle i fod yn wahanol ac yn ddiddorol?

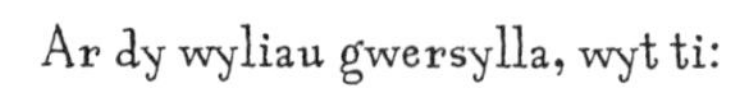

Ar dy wyliau gwersylla, wyt ti:

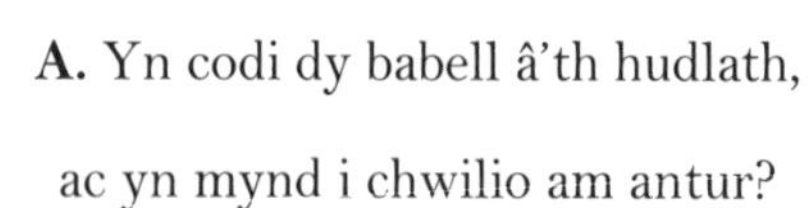

A. Yn codi dy babell â'th hudlath, ac yn mynd i chwilio am antur?

B. Yn codi dy wely plygu pedwar-postyn er mwyn osgoi'r haul?

C. Yn sblasio yn y môr ac yn cael amser da?

Atebion

A yn bennaf

Rwyt ti'n dylwythen deg sy'n hoffi

pethau disglair a byd natur!

B yn bennaf

Rwyt ti'n fampir go iawn, yn hedfan

yn dy glogyn o flaen y lleuad!

C yn bennaf

Rwyt ti'n hanner tylwythen deg, hanner fampir a

chwbl unigryw – 'run fath yn union ag Annalisa Swyn!

Hwyl a sbri wrth ddarllen gyda Ril-

ACADEMI ARCHARWYR
Dial y Gelyn Gwyr
Alan MacDonald
Addasiad Mari George
ACADEMI ARCHARWYR
Alan MacDonald
Dynion Gwirion o'r Gofod
Addasiad Luned Whelan
ACADEMI ARCHARWYR
Mellt ith y Cwstard Cas
Alan MacDonald
Addasiad Mari George
ACADEMI ARCHARWYR
Taran a Dydd y Farn
Alan MacDonald
Addasiad Mari George

HUD YR enfys
Glesni y Dylwythen Deg Las
Gwawr y Dylwythen Deg Oren
Heulwen y Dylwythen Deg Felen
Alaw y Dylwythen Deg Werdd
Ceirios y Dylwythen Deg Goch
Indeg y Dylwythen Deg Indigo
Grug y Dylwythen Deg Borffor

rily.co.uk

RILY

Y Gofod
I blant sy'n dwlu ar y gofod
Dwlu Dysgu
Coedwig Law
Darganfod byd cyffrous y goedwig law!
Dwlu Dysgu

Riff Cwrel
Plymio i fyd anhygoel y riff cwrel!
dwlu dysgu

Anifeiliaid Peryglus
Helwyr mwyaf peryglus y byd
Dwlu Dysgu

Deinosor
Dyma fi!
Dwlu Dysgu

BYD Y GOEDEN AFALAU
LLYFR GOLEUO'R DUDALEN

BYD YR ARDD LYSIAU
LLYFR GOLEUO'R DUDALEN
Carron Brown ac Alyssa Nassner
Addasiad Elin Meek

Y CORFF DYNOL
LLYFR GOLEUO'R DUDALEN
Carron Brown a Rachael Saunders
Addasiad Elin Meek

CYFRINACHAU'R DDAEAR
LLYFR GOLEUO'R DUDALEN
Carron Brown a Wesley Robins
Addasiad Elin Meek

BYD GLAN MÔR
LLYFR GOLEUO'R DUDALEN

Dyma fi, Harriet Muncaster!

Fi yw awdur ac arlunydd Annalisa Swyn.

Ie, wir yr! Dwi'n caru pethau bach, bach,

sêr, a gliter ar bob dim.

Cyfres Annalisa Swyn